Soga om Tryggves fall

SOGA OM TRYGGVES FALL

OMSETT AV
JON LEIRFALL

TEIKNINGAR AV
AUDUN HETLAND

DET NORSKE SAMLAGET

OSLO 1972

Printed in Norway
Mariendals Boktrykkeri A/S,
Gjøvik

ISBN 82-521-0144-5

Innhald

5

Forord

Det syner seg at kjennskapen til den gammalnorske litteraturen er mykje mindre enn vi før har trudd. Men nye handskrifter kjem rett som det er for dagen, og når ein først tek til å leite, er det utruleg kva ein kan finne — ofte ved eit slumpetreff, som til dømes da det vart funne eit handskrift i sengehalmen på ein gard på Nord-Island. Eit anna sogehandskrift vart kjent da det vart selt eit skåp med løyndebrev ved ein auksjon over kassert leidangsmateriell i Pistil-fjord.

Det Norske Samlaget har som kjent sett det som ei opp-gåve å gi ut gammalnorske bokverk, anten det løner seg eller ikkje. Det har òg gitt ut dei to nemnde sogene, og både Samlaget og omsetjaren har hatt økonomisk glede av dette. Etter fleire konferansar i Tørrstrupkjellaren har difor om-setjaren gått i gang med ei systematisk leiting for å sjå om det skulle vere meir å finne.

Det handskriftet som no blir lagt fram, er funne brotstyk-kevis på ymse stader som her ikkje skal nemnast. Det er meir att, men nye granskarar bør få gleda ved å tru at dei har kome over noko som ingen har visst om før. Ein bør ikkje ta frå dei den gleda. Dei bør få leite som best dei kan.

Hendingane i «Soga om Tryggves fall» går for seg i åra 1071 og 1072. Soga sluttar brått like etter at ein mann som er kalla Korvald Kyrre, er vorten drottsete. Korleis det går denne mannen, er det ikkje fortalt noko om.

Det ser ut til å ha vore ei svært uroleg tid med mykje ufred, hovdingar som skifta flokk etter som styrketilhøva var, og flokkar som løyste seg opp og stridde innbyrdes. I mangt minner dette om hendingar i nyare tid. Men det må vere heilt tilfeldig og er eit nytt og forunderleg prov på korleis soga tek seg opp att.

Sogeskrivaren er neppe heilt nøytral. Han har teke parti, og av og til ser det ut som om det grev han at han ikkje har hatt høve til å vere aktivt med i stridane. Men tvisynet kjem likevel fram, og alt i alt må ein tru at soga gir eit sant — om noko farga — bilete av det som gjekk for seg.

Heller ikkje til utgiving av dette handskriftet har Norsk Kulturråd funne å kunne gi tilskot. Grunngivinga er at rådet først og fremst må gi stønad til skrifter som er uskjønelege for dei fleste, og at det som kan skjønast av alle, korkje treng eller fortener stønad.

Hegra, helgemess 1972.

Jon Leirfall

Soger om stridar er skrivne her

Om den store ufredssommaren og om Reidar som mintest ting som hadde hendt tre år før han vart født

Den andre sommaren etter at Tryggve frå Brattalid, som òg vart kalla Tryggve Tagal av di han ikkje tala meir enn turvande, hadde vorte drottsete, vart det stor ufred mellom landsfolket, og gamle menn sa at så stor øsing hadde det ikkje vore i landet sidan Harald Luva slo Haklang og Kjøtve i Hafrsfjord.

I denne striden fekk mange banesår eller vart stygt

13

skadde, somme av hogg som andre gav dei, og somme av meinhogg som dei gav seg sjølve. For mange var framfuse og ansa lite korleis dei førte våpna sine. Mange bar òg våpen mot eigne menn, eller brukte hånsord mot dei og svor at når det skulle veljast mykletingmenn på ny, fekk dei sitje heime og sleikje såra sine.

Menn som før hadde vore vener, såg no til kvar sin kant når dei møttest, og mann og kone snudde ryggen til kvarandre i senga.

Når den eine flokken sa *ja,* sa den andre *nei.* Desse orda ropte dei ut på torg og strete, eller frå snøggvogner som fór rundt i bygdene. Dei sette òg opp skryt-tavler der dei fortalde kor vèl alt ville gå dersom dei fleste sa ja, eller skremsletavler som sa kor stor vanheppe det ville kome over landet dersom dei fleste sa nei.

Begge flokkane rista nidruner over kvarandre og bar sigersmerke på brynjene, eller sette merke på snøggvognene sine for å vise kor mangmente dei var.

Ja-mennene sette opp ei hand til merke for seg. På denne handa vanta veslefingeren, og nei-mennene sa da at dette burde minne folket om at når dei som rådde i Romarlanda fekk tak i ein finger, så tok dei snart heile handa.

Nei-mennene kalla saman lange fylkingar som gjekk i streta og framom Mykletinget og ropte stridsrop og bar hærskjold som det var rita skremsleruner på.

Dette kunne ikkje ja-mennene gjere etter, av di mange av dei var for gamle til å gå, eller var lite vane med det; fylkinga deira ville da bli stutt. Dei kom difor med hånsord mot dei som gjekk i nei-fylkinga, og sa at dei fleste var

Somme var framfuse og ansa lite korleis dei førte våpna sine.

ungmøyar og ungsveinar som hadde lite vit til å meine noko om korleis det skulle styrast i Noregsveldet når dei voks til og ja-mennene sjølve var avlidne.

Ja-mennene sa at dei måtte nytte makta si medan dei var i live til å setje fast korleis landsstyringa skulle vere for alle tider framover.

Dei sa òg at mange av nei-mennene gjekk med langt hår og skjegg, og difor måtte ikkje allmugen ha tiltru til dei.

Men dette vart det mindre tale om etter at Bispe-Per i Borg, som hadde vore ein av hovdingane i farmannsflokken, synte seg fram i langsynsskåpet med eit prydeleg skjegg.

Mange menn som var komne til års, tok no òg til å gå med langt hår og skjegg fordi dei ville ha ungmøyane til å tru at dei var yngre av sinn og førleik enn av år.

Mange i begge flokkane leita i dei heilage skriftene for å finne spådomar og varsel som kunne prove at dei hadde rett, og som kunne auke tiltrua til det dei sa.

Somme ja-menn viste til ordet om at når ein berre søkte det eine, skulle ein få alle andre ting attpå. Dette måtte tolkast slik, meinte dei, at når ein søkte om å bli med i Romapakta, ville ein få alt ein bad om, jamvel om Romarbrevet sette forbod mot det. For da ville ein kome under nåden og ikkje under loven.

Dei var òg visse på at det ville gå i oppfylling no, det ordet som fortalde om ei tid da løva og lammet skulle gå i lag og ete gras med ein liten gut til gjetar. For no ville Britland og Frankarland og det landet som Adolv Vonde hadde styrt, halde fred med kvarandre, berre Noreg vakta dei og tala dei til rette. Men dersom Noreg ikkje ville vere gjetarsvein for dei, var det stor fare for at dei ville bere våpen på kvarandre enda ein gong.

Somme i nei-flokken meinte at Romapakta var den store skjøkja frå Babylon som Johannes hadde sett i ei openberring, og andre trudde at Romarlanda var dyret med dei mange hovud.

Men Beint Magre sa at dette var ei stor villfaring, og at

Somme i nei-flokken meinte at Romarpakta var den store skjøkja frå Babylon.

2. Soga om Tryggves fall

Skrifta kunne tolkast på mange måtar, liksom grunnkvadet til vingleflokken.[1]

Ja-mennene hadde kåra Reidar Karlsevne til hovding. Reidar hadde overlag godt vit til å tale om ting som han hadde lite kunnskap om, og difor høvde han godt til dette yrket.

Han hadde særs godt minne, og sa: «Eg minnest vèl da dei mennene kom heim som hadde vore ute i leidang da vi tok Håkon Sigersæle til konge. Enno ser eg for meg kor glade dei var fordi det hadde vorte fred så dei slapp å gå i våpenstrid mot Svitjod. Lat oss minnast dette, og dersom vi no seier ja, er vi med og tryggjer freden mellom alle land.»

Men sjølv var Reidar fødd tre år etter dei hendingane som han tala om og mintest. Det vart da nemnt at i skriftene stod det om heilage menn som tala visdom alt medan dei låg i mors liv. Men Reidar måtte vere enda meir heilag, som hadde minne frå tida før han kom dit. Etter dette vart han kalla Reidar den minnuge.

Håkon Hardkjefte hadde vore øyrekviskrar i træleflokken, og farmannsflokken heldt han da for å vere ein særs uvitug mann.

Håkon kom no fram i langsynsskåpet og sa: «Berre dei som er gamle og får aldersgull, bør ha rett til å avgjere korleis landsstyringa skal vere når dei sjølve er avlidne. For

[1] *Grunnkvad* er vel helst det som seinare har vorte kalla valprogram. (Merknad av omsetjaren.)

Etter at det hadde vorte mørkt, gjekk Galoppen i løyndom til folk og spurde kva meining dei hadde. Men somme freista å løyne dette.

dei har det som kallast røynsle. Ungdomen har lite vit på dette, og aller minst vit har dei som går på skular og får opp i munnen alt dei krev, dei som kler seg i filler og røykjer gløymslesopp. Og i unghirda til alle flokkane er det mest av slike ungmøyar og ungsveinar. Likevel vil eg gjere eit unntak for unghirda hans Kåre, for der er det særs vituge ungdomar som eg ber stor elsk til.»

For denne talen fekk Håkon stor fagning i farmannsflokken. Og dei som sette ut penningar på rente eller koka lettjarn eller åtte store havskip, sa at han var ein mykje vitugare mann enn dei før hadde trudd.

Men ein ungdom sa: «Den som er født dum, vil vere dum til sin døyande dag. Men når han blir gammal, kallar dei dumskapen for røynsle og priser den som ein god ting.»

Håkon sa òg at han var samd i at vinlandsmennene førte ufred i Gulingland. Men dette vart ikkje nemnt i bodstikkene til træleflokken, og bodstikkene til farmannsflokken fann òg at det var uklokt å rose han for dette.

Håkon laga no eit kvad som han sa fram for dagverktrælane:

> Kjend er Kåre
> for kløkt og kunnskap,
> tenkjer og talar
> tidt som Treholt.
> Høgt skal vi hauke
> same hær-rop,
> halde til høgre
> og hate bønder.

20

Det vart stor ufred mellom mann og kone, og i Bjørgvin skilde ein mann seg frå husfrøya si og sa at han ikkje lenger kunne dele bord og seng med henne.

Det var stor strid om kva som stod i Romarbrevet, og korleis det skulle tolkast på dei ymse tungemål. Begge flokkane skulda kvarandre for at dei hadde ringt vit og ikkje kunne lese i bok, eller ikkje forstod det dei las.

Men mange som ikkje hadde lært seg frankisk tungemål, fekk òg vit til å skjøne dette betre enn dei som hadde til yrke å tolke det.

Torstein Trebit sa: «Vel forstår eg ikkje frankisk, men eg kjenner på meg og andre har sagt meg at det er det same som er skrive med norrøne runer. Når dei mennene som har kunnskap i alle tungemål, seier noko anna, så tek dei i miss, eller dei må vere særs vondlyndte.»

Kåre gav han stønad i dette.

Men Erling Ilskne frå Hålogaland, som hadde overlag vondt for å tru alt som vart sagt av rådsmenn, spurde om ikkje Pomp i Dø kunne spørjast om det var slik som Torstein hadde sagt.

Lovnads-Helge svara da slik: «Lite sømer det seg for deg, og enda mindre for Hallvard Eik som høyrer til vingleflokken, å kome med tvilsord om det Tryggve frå Brattalid og mennene hans seier. Dei er kjende for å vere truverdige menn som alle kan lite på. Du bør ha namnet Erling den mistrune, eller helst burde du vore døypt Tomas, sidan du vil røyne alt før du trur. Når eg høyrer slikt, kjenner eg det som om eg har lus på kroppen.»

Mange nei-menn spurde seg sjølve om Helge hadde vore plaga av slikt uty som dei fleste no var frie for, ettersom han visste korleis det kjendest.

Den mannen som bøndene i heile Europia var ovende

harme på og kalla Sikko Bondebane, kom til Noreg og sa: «Vel forstår eg ikkje norrønt mål, men eg trur det er det same som er sagt på frankisk, og Torstein meiner nok rett.»

Såleis vart Torstein og Sikko samde av di dei ikkje forstod kvarandre.

Om den harde dyrtida og om lovnadene til Ragnar Unge

Ragnar heitte ein ungsvein i træleflokken. Han var ein stor alvorsmann, og ingen hadde sett han le.

Da Borte-Per var drottsete, tala Ragnar ofte i Mykle-tinget og sa at han gjekk med stor otte fordi alle ting gjekk opp i pris. Dette skulda han Borte-Per og mennene hans for. Han ordla seg slik:

«Tungt er det for småfolk å leve under dei kår som

Borte-Per byd dei. Alt det folk treng å kjøpe, aukar i pris for kvar dag. Snart må folk gå berrføtte fordi sko og sokkar er så kostesame. Mange kvende har ikkje råd til å kjøpe seg klede, fordi ty-varene er gått så ofseleg opp i pris. For ein stakk som er så stutt at han snautt når nedanfor styven, må dei no betale meir enn dei gjorde for ein fotsid kjortel den gongen da Einar Milde var drottsete. Og når husfrøyene går i matbuene for å rå til dugurdsmat, røyner dei at sild og surmjølk, kjøtt og kornvare og flatbrød og fisk kostar meir den eine dagen enn det gjorde dagen før. Og husbonden deira undrar seg over at sølvet er så udrygt, og skuldar konene for at dei kjøper uklokt, eller nyttar pengar til ting som mennene ikkje får vite noko om.

Men konene seier til mannen sin: «Du gir meg for lite pengar. Kor gjer du av alle pengane du tener? Eg får ikkje meir enn eg gjorde før du fekk auka arbeidsvederlaget ditt. Har du ei løyndekone som du gir pengar og tek med ut på mjødstovene og søv med før du kjem heim til meg?»

Og dei som bur i blokkhus og ikkje får sølv til overs til å kjøpe ting som dei som bur i same lofts-svala ikkje har, blir range og uvensame mot kvarandre.

Lite glede blir det hos folk av dette. Kva nytte er det i at dagverktrælane får meir sølv for arbeidet sitt, når Borte-Per steller det slik?

Men eg er klokare enn Myr-Olav, og ser lenger enn han i alt som har med pengar og skattegull å gjere. Eg veit korleis det skal rettast på dette når eg får sleppe til. Og dersom vi fekk ein annan drottsete, og han var så klok at han sette meg til gjaldkjer[1], ville eg syte for at alle prisar låg faste, samstundes som det vart mindre skattegull å betale for småkårsfolk.»

Alle i træleflokken tykte dette var overlag godt sagt. Men somme mulla for seg sjølve at det ville ha vore enda klokare om det hadde vore målbore av ein som var eldre av år og hadde meir røynsle.

Det gjekk no slik til at da Borte-Per hadde falle for sjølvhogg og Tryggve vart drottsete, så fekk Ragnar rommet etter Myr-Olav.

Det vart da sett påbod om at ingen skulle ha lov til å ta meir for det dei baud fram til sal enn dei hadde teke før. I træleflokken var det stor glede over dette, og det vart sagt at ei slik einfelt løysing skulle Per ha funne på for lenge sidan.

Men da det hadde gått to måneskifte, vart dette påbodet teke bort, og kaupmennene fekk løyve til å setje opp prisane sine dobbelt så mykje som dei elles ville ha gjort, for å ta att det dei hadde tapt den tida påbodet stod ved makt.

Etter dette vart det enda verre dyrtid enn da Per og sambandsmennene rådde, og mange husfrøyer som hadde mindre vit enn mennene sine, sa at dei ønskte seg den tida tilbake. Og dei sa at Ragnar Unge var å likne med kong Rehabeam som la tyngre bører på folket enn dei som hadde styrt før han. Dei kvad og var ilskne i røysta:

1 *Gjaldkjer* er den gamle nemninga for finansminister. (Merknad av omsetjaren.)

Dagverktrælane tykte sølvet hadde vorte udrygt.

Laus var lovnad
om betre livskår,
lite ungsveinen
heldt det han lova,
lite vi ser
til lågare prisar.

Dagsverktrælane hadde eit samlag som dei kalla Ello.
Dei var for det meste samde i alt som Tryggve gjorde i Myk-
letinget og i kongsrådet. Dei skreiv no til Tryggve og sa:
«Kvifor gjer ikkje denne ungsveinen som du har sett
til å styre med prisar og løner, slik som han kravde da han
enno berre var mykletingmann, og som han sa at han hadde
vit til å gjere? Han lova da at alle løner skulle stige meir
enn prisane steig, ja han ymta til og med om at alle prisar
skulle gå ned når berre han fekk sleppe til med det store for-
standet sitt. Ille fyller han opp lovnadene sine. Men no
krev vi at han gjer ein ny freistnad på å gjere det som
Borte-Per og Myr-Olav vart lasta for at dei ikkje gjorde.»
Til dette svara Tryggve ikkje noko. Men dei som visste
mest, trudde at han ville vente med å kome med slikt på-
bod som Ello kravde, til tida for den store striden var
nærare. For da ville allmugen tru at dette påbodet skulle
føre fram, og ikkje få tid til å røyne noko anna før dei
hadde sagt *ja.*
Det gjekk da òg slik som mistruiske menn hadde spådd.
Tre dagar før storstriden kunngjorde Tryggve at alle
prisar skulle liggje fast.
Men han sa ingen ting om dei prisane som han sjølv

hadde rådvelde over. For i den boka som kallast Gul-skinna[1], og som skulle haldast løynd til striden var slutt, stod det at desse prisane skulle stige meir enn nokon gong før. Det skulle bli kostesamare å røde i taletuten, sende runebrev til kvarandre, fare med skjenelause køyregreier, høyre på Lurbjørn Sørebøen i allmannaluren og sjå Lars Jakup Krokfot i langsynsskåpet. Lars Jakup hadde fått dette utnamnet fordi han ofte freista å setje krokfot for dei han tala med i langsynet.

Dei mennene som tok styringa etter at Tryggve hadde gjort stolgang, var overlag glade for dette. For no slapp dei å kome med slike påbod sjølve.

Per og mennene hans klaga òg hardt over den store dyrtida, og nytta det same ordlaget som Ragnar før hadde gjort. Lovnads-Helge og Kåre den djuptenkte var meir var-same i ordvalet av di dei meinte at alt som minka god-hugen for Tryggve, minka òg vonene for at Noreg vart med i Romapakta. Dei synte god vilje til å forstå dei vans-kane som Tryggve var i, og rådde træleflokken til å lite på alt han sa. Klager over det han gjorde, burde ein vente med til striden om Romarbrevet var ført til ende, og heller finne ting som kunne orsake Tryggve og Ragnar for at dei hadde lova meir enn dei kunne halde.

Det same meinte Kveldsbodstikka som kom ut om mor-gonen og Morgonbladet det gamle. Begge fann at det var mange kloke tankar i træleflokken, og at det var lite som skilde Tryggve frå Kåre den djuptenkte og mennene hans.

1 Må vel vere statsbudsjettet, som òg blir kalla «den gule bok». (Merknad av omsetjaren.)

29

Om velstandsvokster og om ymse råder for å auke landeinnkomsten

Det var noko dei kalla for velstandsvokster[1]. Slik vokster vart det når folk kjøpte ting som dei ikkje trong, og kasta dei på møkkdungen når dei vart trøytte av å sjå på dei eller nytte dei. Velstandsvokster vart det òg når ein fekk mange til å kjøpe ting som dei hadde skade av.

Når ein fekk mange til å gjere dette, kunne det setjast fleire til å lage slike ting. Og når desse fekk dagsvederlag, fekk dei meir sølv til å kjøpe ting som dei hadde lite gagn av, og enda fleire kunne setjast til å lage dei. Slik heldt da velstandsvoksteren fram.

Menn som kunne finne på ting som ingen hadde nytte av, som rauk sund snart, som folk stygdest ved når dei hadde fått tak i dei, eller som kunne skade helsa, var difor særs nyttige og gjorde svært mykje til at velstandet voks.

[1] Må vel vere det same som no kallast økonomisk vekst. (Merknad av omsetjaren.)

Det var noko dei kalla for velstandsvokster.

Ingen kunne ete seg meir enn mett, og lækjarane sa at folk helst burde ete noko mindre enn det som trongst til å bli mett. Difor vart det heller ingen velstandsvokster av det om bøndene avla meir korn og fekk kyrne til å mjølke meir, eller fekk oksar og grisar til å leggje på seg. Det førte til liten landebate om dei sleit med dette for å lage mat til dei som hadde til yrke å lage slike ting som folk kunne leve forutan.

I dei landa som lydde Romarbrevet, var det ein mann som såg dette klårt for seg. Han ville difor at bøndene

31

skulle få aldersgull før den tida som var sett til det, så dei slutta med yrket sitt, som berre tente til å minke velstands-voksteren. Han heitte Sikko, og for skuld dette fekk han tilnamnet Bondebane.

Torstein Trebit sa seg samd. Men da han var ottesam for at det kom noko brått på bøndene, bad han om å få tre år som områdingstid før han sette det i verk i Noreg.

Når ein la saman verdet av alle ting som vart laga, og arbeidsvederlaget for alle tenester som folk gjorde mot kvarandre, og alt gullet som gjekk med til dei som sat i skrivestovene og laga innfløkte skriv, og til dei som kravde inn skattegullet, fekk ein noko som vart ført i bok og kalla landeinnkomsten[2].

Berre verdet av det arbeidet som husfrøyene gjorde i eigen heim, vart ikkje rekna med. Men dersom to menn byttest på og nytta konene til kvarandre til å gjere slikt arbeid og betalte det så det gjekk opp i opp, vart det rekna med. Sameleis dersom ei husfrøye sat i skrivestove eller hadde arbeidsvederlag for å lage unyttige ting. Og arbeids-vederlaget for ho som var heime i staden for henne, kom òg med.

Dei som var gløgge, kunne på mange vis hjelpe til så velstandsvoksteren og landeinnkomsten vart større. Det vart rekna ut at dersom alle brukte mjukare papir som det var prenta blomar på, når dei gjekk på vetlehuset, så ville det føre til tjue sølvpengar meir i utlegg for kvar. Saman-

2 Må vel nærast svare til nasjonalproduktet. Dette er særs inter-essant fordi det syner at folk i gammal tid hadde plager med ting som dei ikkje forstod, likeins som i dag. (Merknad av omsetjaren.)

Slepte bøndene taket i grasrota, skulle dei få aldersgull.

3. Soga om Tryggves fall

lagt ville dette bli åtti tynner gull[1] for alle nordmenn, og dette kom da landet til gode fordi det førte til større innkomst for dei som laga og selde slikt papir. — På denne måten kunne alle hjelpe til med å auke velstandet i landet når dei minst tenkte på det.

Dette var så innfløkt at allmugen ikkje forstod det, og difor trudde dei at det måtte vere rett.

Ein mann som hadde grunda lenge over dette, spurde likevel: «Dersom eg går i mjødbua og kjøper ei flaske mjød, eller drikk ut ei kiste sterkøl, og så set meg i snøggvogna mi og køyrer på ei anna snøggvogn, aukar eg da landeinnkomsten?»

Han fekk da dette svaret av ein av dei som førte landeinnkomsten i bok, og som var vorten så vis at han hadde mist vitet: «Ja det gjer du monaleg, og di meir du drikk, og di meir du gjer skade på snøggvogna di, di meir aukar du landeinnkomsten. For det du drikk, blir ført som innkome for dei som lagar og sel sterk drykk. Og skaden på snøggvogna blir ført som innkome for snøggvognsmeden, og di meir han krev for arbeidet sitt, di meir aukar landeinnkomsten. Og køyrer du på ei anna snøggvogn så den òg må til vognsmeden, så aukar du innkomsten for landet ditt dobbelt. Og dersom du attpåtil køyrer på eit menneske og skader det, så gjer du enda meir for å auke velstandet, sidan lækjarløna og alt som må kostast på for å få dette

[1] Ei tynne gull svarar til ein million kroner målt med dei pengane vi bruker no. Ein kunne tru at sogeskrivaren skjemtar her, men ei slik utrekning er nyleg gjord av eit papirfirma, og i djupaste alvor. (Merknad av omsetjaren.)

Islendingane svor på at dei ikkje ville finne seg i at skip frå Bret-
land tok fisken deira og kasta på sjøen det dei ikkje kunne nytte.
I dette fekk dei stønad av nei-mennene.

mennesket friskt, kjem i tillegg. For alt dette blir ført i bøkene våre.»

Ein som tykte dette høyrdest underleg ut, spurde så: «Men om byvektarane tek meg for uvørden køyring og set meg i mørkestova, da må vel utlegga for dette trekkjast frå?»

«På ingen måte,» svara da dei vise mennene, «for utlegga til dei som tok deg, og til dei som dømmer deg, og til dei som vaktar deg i mørkestova, det er alt saman tenester som landsstyringa yter deg, og det må førast i bøkene våre som innkome.»

Men mange hadde tungt for å forstå dette og heldt fram med å spørje: «Varene stig uhorveleg i pris frå dei blir laga og til dei blir selde over kjøpmannsbordet. Korleis er det med dette?»

Han fekk da til svar: «Det som varene legg på seg i pris, kallast meirverde, og di meir prisen legg på seg ved at varene går gjennom mange, di større blir meirverdet og tilskotet til landeinnkomsten.»

Ein som ikkje tykte han enno hadde kome til botn i saka, heldt fram med å spørje: «I alle tidtrøyte-bodstikkene er det bilete som syner kor omtykte kvinnene blir når dei bruker noko som kallast «sprei» på dei rette stadene. Der ser vi òg bilete som viser at emne til å vaske klede med, vaskar kvitare når dei har eit visst namn enn same emnet når det kallast noko anna, og vi ser kor byrge husfrøyene er når dei syner fram vaskekleda sine. Dette er det rette namnet på vaskeemnet årsak til. Sameleis fortel alle som lagar snøggvogner, at den vogna dei lagar, er betre enn alle andre. Andre prøver å lokke folk til å kjøpe varer som dei ikkje treng, eller som dei ikkje har visst om før. Om dette blir det òg sett opp lokketavler og sendt ut lokkeprent i mange leter, og mange krev at det skal kome lokkerop i allmannaluren og synast lokkespel i langsynet. Dette kan vel ikkje auke velstandsvoksteren, og må vel vere nyttelaust arbeid?»

Til dette fekk han som svar: «Fåvist spør du no. Dersom det ikkje var nokon som dreiv med slikt lokkearbeid,[1] var det ikkje mogeleg å lage ymse varer, for folk vart ikkje vár at dei ikkje kunne leve dei forutan. Mange ville da bli arbeidslause eller tene mindre. Mange livnærer seg òg med lokkearbeid, og bodstikkene bruker meir papir for å få rom til all denne lokkinga enn dei elles ville ha gjort. Difor er det lokkearbeidet som framfor alt fører til velstandsvokster og større landeinnkomst.»

Mange rista likevel på hovudet til dette.

I Mykletinget var det ingen som våga å bruke skjemtarord om den måten landeinnkomsten vart rekna ut på og bokført. Men det vart stor strid mellom ja-mennene og nei-mennene om velstandsvoksteren kunne halde fram på same måten dersom Noreg ikkje gav seg med i Romapakta.

1 Lokkearbeid er sikkert det same som kallast reklame no, og som vi ser, vart det sagt det same om dette i eldre tid som kunnige menn seier no. (Merknad av omsetjaren.)

Om løyndemøtet i Mykletinget som Lurbjørn Sørebøen avsanna

I ølstova i Mykletinget sat som oftast mennene frå dei ymse flokkane kvar for seg, og rødde over eit horn øl eller eit staup svaledrykk. Men når det kom opp ting der det var usemje i flokkane, var det somme som fann hugnad ved å tale ille om dei i flokken sin som hadde ei anna meining. Dei gjekk da til bord der det sat menn frå andre flokkar, og fekk medhald der.

Det var òg vanleg at dei tala seg saman om å gå i Tørrstrupkjellaren. Der sette dei seg ved det bordet som står straks innanfor døra og tala lågt saman om ting som ikkje alle hadde godt av å høyre.

Etter at striden om Romarbrevet kom opp, såg ein ofte at midtmennene og somme av vinglemennene og kristmennene sat ved same bordet og la opp råd saman. Og mange frå farmannsflokken som hadde ølbordet sitt nedst i stova, søkte no til dei borda der Torstein Trebit og dei fleste av mennene til Tryggve Tagal pla sitje. Der vart dei tekne imot med stor ære og fagna på det beste.

Håkon Hardkjefte sa at mange i farmannsflokken tenkte overlag klokt og ville stelle det på det beste for dagverktrælane. Og Kåre den djuptenkte skremde med at det ville kome stor ulukke over landet dersom det kom ein annan drottsete enn Tryggve.

Sameleis vart menn frå træleflokken vèl fagna om dei søkte bord saman med Borte-Per og Gunnar Garbe.

Runeritarane frå bodstikkene gav gaum på om nokon bytte bord og sette seg saman med Hallvard Eik og Erling Ilskne frå Hålogaland. Dei sprang så bort i Akersstretet og melde frå om dette.

I Vinglebodstikka var det da stor glede over at det truleg var mange fleire enn tre tylfter menn som ville fylke saman med nei-mennene, men Kveldsbodstikka som kom ut om morgonen gjorde seg ottesame tankar om dette.

Kveldsbodstikka hadde kjøpt ei bodstikke som vart seld på streta ved dugurdstid. Denne bodstikka vart kalla Heimskringla, og der vart det skrive slikt som høvde farmannsflokken, men som Kveldsbodstikka sjølv ikkje ville prente fordi ho ville ha ord på seg for å vere truverdig.

Heimskringla var det mange som kjøpte fordi ho kunne melde om ting som var usanning, før dei andre bodstikkene vann å gjere det. Mange svaksynte var òg særs nøgde med ho fordi ho prenta alt med større runer enn dei andre. Og mange fann hugnad i ho fordi ho skreiv meir enn dei andre bodstikkene om valdsverk mot kvinner, og om møyar som hadde vunne seg stort ry i framande land ved å kaste serken og søkje seng med dei menn som blir kalla kjendisar.

Heimskringla sa seg å vite meir enn alle andre om det som gjekk for seg i Mykletinget. Ofte kunne ho fortelje at tingmennene hadde hatt for seg saker som dei sjølve ikkje visste noko om.

Ved alle borda i ølstova i Mykletinget var det denne våren mykje tale om kva som ville bli utgangen på striden om Romarbrevet dersom folkeviljen gjekk Kåre og Tryggve imot.

Ronald, som hadde vorte øyrekviskrar i træleflokken etter Håkon Hardkjefte, sa at om det gjekk så ille, burde Tryggve følgje rådet frå Kåre og gjere stolgang. Og om han ikkje tenkte å gjere dette, burde han likevel seie det, og skremme med at da ville Borte-Per stige opp i drottsetestolen enda ein gong. Og da ville det bli enda verre dyrtid enn det hadde vore under Ragnar Unge.

Somme meinte at da ville Einar Milde, som no vart kalla Einar Gamle, fylke træleflokken enda ein gong. Elles kunne dei ottast for at Finn Framfuse ville ta mange menn frå flokken.

Slike emne vart det tala om ved alle borda i ølstova, og det var fleire meiningar enn det var menn.

Ein dag sat nokre menn frå flokkane i midten i ølstova og åt dugurd saman. Dei tala lågt seg imellom og stakk hovuda saman, medan dei da og da gløtte over aksla for å sjå om Lurbjørn Sørebøen var i nærleiken.

Da det leid ut på sommaren, vart det svært varmt, så folk ikkje iddest gjere noko. Heimskringla hadde difor lite å rite runer om.

Lurbjørn Sørebøen og Lars Jakup Krokfot visste meir om det som gjekk for seg i Mykletinget enn tingmennene sjølv gjorde.

Vegard Vidfemnande kalla da saman runeritarane sine og sa: «Inga møy er vorten valdteken denne natta, og det er ikkje meldt om nokon som har vorte rana og helseslegen. Heller ikkje kan vi skrive om folk som bur i tjeld ute i skogen fordi dei ikkje kan kome inn i blokkhus. For så varmt verlag som det no er, vil dei fleste berre tykkje at slike folk har det betre enn alle andre. Kva skal vi da rite stor-runer om?»

Ein av runeritarane hans kom til å tenkje på åtferda til dei mennene som hadde ete dugurd saman for to måneskifte sidan, og sa: «Kan det ikkje setjast i bodstikka at det har vore eit løyndemøte i Mykletinget, og der har menn frå flokkane i midten vorte samde om at dersom Tryggve følgjer rådet frå farmennene, så vil dei setje Hallvard Eik i drottsetestolen. Og for å gjere det meir truverdig, kan vi òg nemne dei menn som skal sitje i dei andre rådsstolane, alt etter som Hallvard meiner dei har vit og vilje. Og vi kan leggje til at Borte-Per ikkje skal få vite om dette.»

Vegard fann at dette høvde godt til å lage skremmeruner om og sa at slik skulle det gjerast.

Mange fann at ein slik utgang ville vere truleg. Men fordi det stod i Heimskringla, trudde dei det var lite sanning i det. Vinglebodstikka i Akerstretet sa da òg at Heimskringla ikkje kunne skrøne så folk trudde det, og det var ringt av ei bodstikke.

Heimskringla freista no å få tak i namna på dei som hadde vore med på løyndemøtet, men ingen kunne namngi dei. Ho sa da at det ikkje kunne ventast at menn som hadde vore med på noko slikt, ville vedstå seg det. Difor

Folk gjorde seg mange tankar om korleis det nye kongsrådet ville sjå ut dersom det vart nei. Mange meinte at Reidar Raude spøkte attom dei.

var det mest truleg at dei drog seg unna sanninga. Vegard freista òg å finne sanningsvitne hos dei runeritarane som hadde sin gang i Mykletinget, men ingen av dei ville gi sannsegner.

Lurbjørn Sørebøen, som visste meir enn alle andre, sa at vel hadde det vore mykje laust snakk når myklemennene sat over ølet i Tørrstrupkjellaren og andre stader. Men

43

noko løyndemøte der det hadde vorte sett ting i bok og teke
avgjerder, hadde det ikkje vore.

Etter dette kvad Vegard:

Tynn tråd kan tvinnast
til tåtten ryk.
Liten heider
Heimskringla hausta.
Til lått og løye
vart løyndemøtet.

Om tru og tvil, og om den store venskapen mellom Tryggve og Kåre

Tryggve frå Brattalid reid no med mange menn i følgje opp til den kaupangen som ligg på vestsida av Mjøsa. Der hadde han stemnt til møte menn som las Romarbrevet på same måten som han sjølv, og som var vane med å slå på skjolda og rope seg samde med han i alt han sa.

Men til dei som hadde ei meining for seg sjølve, var det ikkje sendt bodstikke om dette møtet.

Tryggve tala såleis:

«Vel har eg lita tru på at nei-mennene får større fylking enn ja-mennene i hauststriden. Sant nok vil det kome mange menn drivande til dei frå utvær og fjelldalar. Men det er i Oslo-kaupangen og bygdene der omkring den største mannemakta ligg. Og der vil vi få stor hjelp av folket til Kåre den djuptenkte, og dei rår over mykje gull som dei kan nytte til å vinne menn med. Tor Ospegrein vil òg få dei fleste av mennene sine til å fylke under merket mitt. Vi kan da lage det som dei gamle kalla for svinefylking, og stille Kåre og mennene hans på høgre sida. Men eg sjølv

Slik sa nei-mennene at dei fleste ja-mennene såg ut, og mange trudde på dette.

Ja-mennene fortalde at det var slike menn og kvende som rådde i nei-flokken, og somme vart fælsleg skremde.

og dei i flokken min som er trugne mot meg, følgjer merket i midten, og lausflokkar frå kristmennene og vinglemennene går fram til venstre for meg.»

Somme av møtemennene tvila på om dette var rette måten å fylke på, og ein av dei sa: «Vil det ikkje føre til vanheppe å fylke under trælemerket så mange som ikkje har den rette trua i alle ting?»

Men til dette svara Tryggve: «Minnest du kor ille det gjekk den heilage kong Olav i slaget på Stiklestad? Han kravde at alle i hæren hans skulle ha den eine og rette trua. Men i bondehæren var det både kristne og heidne menn, og fordi dei var dei fleste, vann dei siger.»

Med dette slo alle seg til tåls, og Tryggve heldt fram med talen sin:

«Men om det no går så ille at nei-mennene blir dei fleste, vil eg gjere stolgang, og ikkje meir rådslå med Roma-mennene om lagnaden til landet. Og alle vil skjøne at det fører til større ulukke for folket om Borte-Per kjem i drottstolen att for ei stutt tid, enn om vi bind oss til Romapakta for alle tider. Eg trur òg dei fleste vil skjøne at det ikkje finst så mykje vit og omdømme i nei-flokken at dei kan styre landet like godt som eg og mennene mine.»

Det var bodstikkemenn til stades på møtet, og Lurbjørn Sørebøen sat saman med dei. Han spurde no: «Kan det ikkje tenkjast at andre i træleflokken vil gå i drottsetestolen og tinge med Pomp i Dø og Sikko Bondebane?»

Til dette svara Tryggve tvert nei.

Lurbjørn spurde så vidare: «Skal det gjelde for alle tider?»

Tryggve svara: «Når ei tid er gått, kan mykje snu seg. Men kor lang tid som trengst til dette, vil eg ikkje seie noko visst om. Og eg vil leggje til at dersom det blir flest nei-menn i Daneveldet, vil eg ikkje gjere stolgang. For ulukka ved ikkje å bli med i Romapakta, vil bli lettare å bere dersom vi kan dele ho med danene.»

Lurbjørn hadde bråvakna ei natt og fått det for seg at han var gitt skaldegivnad. Dagen etter laga han ofseleg mange kvad, og for å få del i det gullet som alle skaldar skulle ha, fekk han kvada sine prenta på kalveskinn. Dei var særs djuptenkte.

No sa Lurbjørn fram det store Smørkvadet sitt for Tryggve. I det kvadet fortalde han om ein herse som selde smør, men ikkje fekk att laupen. Tryggve høyrde vèl etter, men sa lite om korleis han likte kvadet. Og Lurbjørn fekk ikkje skaldeløn av han.

Det vart stor usemje i træleflokken om talen til Tryggve, og mange sa det var uklokt av han å truge trufaste menn på ein slik måte. Fleire av mykletingmennene hans svor at dei framleis ville gå mot Tryggve i denne saka.

Og Einar Gamle, som sat og feste minna sine i bok, mulla for seg sjølv at denne gongen hadde Tryggve sagt meir enn han skulle. Men difor vart heller ikkje Einar spurd av bodstikkene til træleflokken om kva han meinte.

Etter talen til Tryggve kom det stor redsle over mange i nei-flokken. Men da Galoppen enda ein gong gol framgang for dei, vakna motet att. Arne Haugebonde kvad:

Tenkt burde Tryggve
gjort før han tala.
Trugsmål om tvang
vil tvilen auke,
trygt eg stolar
på tenksame trælar.

Kåre og Tryggve sette no saman opp eit hærskjold der
det stod at dei som var i tvil, burde seie *ja.*

Men somme grunda på om dette kunne vere rett.
Ei skjoldmøy som heitte Berit, og som sat for træleflokken
i skipreidetinget i Vestre Vika, sa til Tryggve:

«Eg har òg tankar om tru og tvil. Dersom det kjem ein
mann og belar til ei ungmøy, og ho ikkje er samd med
seg sjølv om ho har elsk til han, vil du da råde henne slik:
Er du i tvil, så sei ja, sjølv om du ikke er viss på at du vil
trivast saman med han. *Eg* ville heller råde ungmøya slik:
Er du i tvil, så sei *nei.* Det kan hende godhugen aukar
etter ei tid, og så god heimanfølgje som du har, vil bela-
ren sikkert kome att. Da kan du svare ja, om du ikkje ser
deg råd til å leve i einsleg stand. Slik har eg høyrt at ei
møy som heiter Svea har tenkt å gjere.»

Da ho hadde sagt dette, song ho det stevet som tek
til slik: «Det står ein friar uti garden».

Til dette sa Tryggve at det sømde seg ikkje å skjemte
med slike alvorlege ting.

Somme hadde den trua at der mange menn var samla,
måtte det òg vere mykje vit. For da kunne vitet til alle
leggjast i hop, og så voks det med mannefjølden.

Korkje ja-mennene eller nei-mennene kunne finne på meir usan-ning å fortelje folket.

Såleis måtte det vere meir vit i eit stort land enn i eit lite, og der det var flest menn, måtte det òg vere mest forstand. Difor hadde dei fleste alltid rett, og sidan dei fleste i Mykletinget trudde at alt som stod i Romarbrevet var til gagn for landet, måtte det òg vere rett. Ein måtte difor tru på desse mennene, og trong ikkje tenkje sjølv.

Men mest måtte ein tru på hovdingane, for dei ville ikkje ha vorte hovdingar dersom dei ikkje hadde meir vit enn alle andre til saman, og det dei sa, var alltid rett. Dei hadde òg best skjøn på å peike ut menn til å fare i langferder eller til å bli lendmenn, og difor var det klokt å vere samd med dei.

Lovnads-Helge sa seg samd i dette, men la til at det kan hende måtte gjerast eit unntak for vingleflokken, der dei fleste var usamde med hovdingen sin.

Men Kåre den djuptenkte sa at ein måtte lite på dei som var flest i Mykletinget. Dersom Tryggve i den neste allstriden fekk fleire menn enn dei andre til saman, måtte han òg ha rett. Og da måtte ein seie seg samd med han også i alle ting som ikkje hadde noko med Romarbrevet å gjere.

Om den fælslege skremmeveka og om den talen Villi Brent heldt på træletorget

Her skal forteljast om hendingane den siste veka før ja-mennene og nei-mennene gjekk mot kvarandre til storstrid.

Denne veka vart seinare kalla den store skremmeveka, av di ingen lenger tala sanning, men alle gjekk ikring og fortalde skremmelege ting som dei sjølv ikkje trudde på, men som dei vona å få andre til å tru.

Ja-mennene skremde med at dersom nei-mennene vann striden, ville bøndene og dei som hadde måla SUF på skjolda sine, gå saman og tyne alle som hadde bore ja-merke, og jage heim mykletingmennene.

Mange som var noko til års komne, miste nattesvevnen av dette.

Det var òg dei som skremde med at dersom Tryggve gjekk ut or drottsetestolen, ville Borte-Per stige opp igjen. Men dette var det få som trudde.

Nei-mennene skremde med at dersom Sikko Bondebane

53

fekk rå, ville alle einvirkesbønder[1] svelte i hel, og det ville bli så langt mellom gardane der det var bergingsvon, at kvar gard måtte ha sin eigen hannkatt.

Det vart teke varsel av mange ting.

Det synte seg mykje bjørn på moltemyrane denne hausten, og det vart da sagt at dette var for å minne nordmennene om at Gardariks-bjørnen kunne kome og ta landet dersom det ikkje søkte vern hos Romarlanda.

Prestlærde menn hadde ymis meining om korleis Kvite-Krist såg på denne striden. Om dette vart det rita mange runeblad, men av grunnar som her ikkje skal nemnast vart dei fleste av desse lagde i haug og brende.

I veitene og på torgallmenningane rauk småflokkar i hop og gjorde skade på snøggvognene til kvarandre og reiv ned skremselstavler. Det vart sagt at mange leid skade på kroppen, og at somme måtte søkje inn i kyrkjene for å vinne seg grid. Dette gjorde at mange i begge flokkane ikkje torde gå med sigersmerke for flokken sin på brynja.

Dei som skulle lære småsveinar og småmøyar å lese i bok, hadde stor nytte av striden. For mange av borna lærte seg dei runeteikn som stod for ja og nei, og kunne setje dei saman til ord utan rettleiing frå skulemeisteren.

Villi Brent, som styrte det riket som Adolv Vonde før hadde rådd for, kom til Oslo-kaupangen for å rå bymennene til å seie ja. Han stemnde til møte på Træletorget, der Tryggve og mennene hans brukte å føre harde ord mot

[1] Bønder som dreiv gardane sine mest utan leigehjelp. (Merknad av omsetjaren.)

Bøndene gjekk ofseleg fram og hadde Nei til hær-rop.

Kåre og farmennene. Denne gongen vart det sagt til Kåre at dei òg skulle vere velkomne.

Vollen var fagert prydd med tjeld og vakre skjold som kunnige menn hadde laga slik at når dagverktrælane såg på dei, tyktest dei vere raude, men for farmennene såg det ut som dei var mørkeblå.

Mange som før hadde vore styggeleg redde for Tryggve, miste no denne otten, og mange trælar var ikkje så redde for Kåre som dei før hadde vore. Det vart òg lagt ut

55

som eit godt teikn for freden innanlands at trælar og farmenn kunne møtast på nett denne staden utan ordkiv.

Til Træletorget kom det uhorveleg mykje folk, både trælar og menn som åtte store havskip eller stod i pengebuene, og som budde på vestsida av kaupangen. Men mange hadde ikkje vore på den kanten av kaupangen der Træletorget låg, og hadde difor vondt for å finne fram i streta.

Villi tala til folket:

«Eg kjem no med tilbod til dykk: Dersom landsmennene mine får rettar som nordmenn her i landet, og landet mitt og dei landa som det er i samlag med, får vere med og styre i Noreg, så skal nordmennene få dei same rettane i landet *mitt*, og ha eit ord med i laget om korleis det skal styrast. På den måten vil alt bli jamt, og nordmennene aukar sjølvråderetten sin og får større makt. Men dette byd eg dykk med vensame ord og med godvilje, medan landsmennene mine før truga med sverd og øks. Og medan dei ville tvinge dykk, så kan de no velje fritt, og dette gjer stor skilnad. Eg spår at det vil gå dykk mindre godt om de ikkje følgjer rådet mitt.»

Det er sagt at Arne Haugebonde stod på ei høgd ikkje langt ifrå og var hugsår da han såg den store folkemugen som høyrde på Villi.

Om dette vart det laga eit kvad:

Trongt det vart på Trælevollen,
tunglyndt Arne miste motet.
Fleire runer må her ristast
for å vende Villis ven-ord.

Dersom Sikko Bondebane fekk rå, ville det bli så langt mellom gardane i Noreg at kvar måtte ha sin eigen hankatt.

Men da Galoppen same kvelden gol framgang for nei-mennene i Daneveldet, vart Arne snart glad som før.

Nokre menn sa at dei etter å ha tenkt djupare enn før, hadde skifta meining, og difor òg ville skifte fylking. Dei vart da haldne for å vere særs vituge og skjønsame i den flokken dei søkte til. Men i den flokken der dei før hadde vore, vart det sagt at om dei før hadde synt stor klokskap og sagt ord som folk burde lyde etter, så hadde no det meste av vitet gått ut av dei, og ingen trong høyre på dei.

I Daneveldet hadde dei òg ein hane som gol opp, og den gol no at dei fleste danene var huga på å seie nei. Av dette vart Tryggve og Kåre særs ottefulle.

Og Jens Krake, som var drottsete i Daneveldet og hadde fått tilnamnet sitt etter ein gammal konge som vart brend inne, rita ein tale som han ville føre fram dersom nei-mennene vann, og ein annan som han ville nytte dersom ja-mennene vart dei fleste. Men han vara seg vèl for å seie at han ville gjere stolgang om striden gjekk han imot. For dersom han sa dette, ville enda fleire daner seie nei.

I alle bygdene i Noreg vart det blota for siger, og det vart halde kjeftingsmøte der menn som visste lite, fortalde dei som visste enda mindre kva som var rett. Og i langsynsskåpet og allmannaluren var det storkjeftingar der hovdingane møttest og freista å gjere det same. Etter dette visste dei fleste enda mindre enn før.

Den siste natta rudde både ja-mennene og nei-mennene opp etter seg i streta og på torga, slik at det kunne bli

Mange trælar og vinglemenn kravde at Lovnads-Helge og Guttorm den naumdølske skulle setjast ut på Skratteskjer når sjøen flødde.

framkomande for folk til slagvollen. Dei brende da alle dei bøkene og skremmeblada som dei ikkje hadde makta å få allmugen til å ta imot.

Men nei-mennene bar alt dette opp på dei høgaste nutane og brende det der.

Grannefreden vart broten mange stader.

Om den natta da ingen sov, og da landsfolket gløymde alle velgjerningane Tryggve hadde gjort mot dei

Allmugen tok no til å bli trøytt av å høyre den same tingen sagd fleire gonger, og korkje ja-mennene eller nei-mennene kunne finne på meir av sant og usant å fortelje folket. Begge flokkane tok òg til å vante gull til å føre striden vidare med. I langsynsskåpet og allmannaluren hadde det vore samkjeftingar der alle hovdingane hadde synt seg fram, somme til glede og somme til sorg for dei som såg på, og i alle bygder hadde det vore småkjeftingar. Det var òg otte for at den øsinga som folket hadde kome i, ikkje kunne halde seg stort lenger.

Flokkane gjekk difor til strid mot kvarandre på valvollen. Dei sette da opp ei pil mellom seg, og sa at den flokken som var komen framom denne pila når striden var ført til endes, kunne rekne seg siger.

Denne striden tok til fire døger før mikjelsmess og heldt fram ei heil natt. Alle sat oppe ved langsynsskåpa sine og fekk meldingar frå Krok-Lars og Lurbjørn om korleis stridslukka skifta.

Det gjekk da lenge att og fram, og begge flokkane vann eller tapte voll fleire gonger. Begge trudde fleire gonger at dei hadde vunne, og hauka sigersrop. Det vart da stort ovmot i den flokken som hadde framgang. Men stridslukka skifta brått gong på gong. Det er fortalt at ein nei-mann såg seg tid til å gå av vollen for å kaste vatnet da flokken hans hadde som mest framgang. Men da han kom att, var Arne Haugebonde og Ragnar Kale komne langt attom den pila som var stridsmerke.

Når ein flokk hadde tokka seg attende, ropte mennene i denne flokken at det ikkje kunne reknast for tap dersom den andre flokken ikkje kom meir enn to målstenger framom pila. Men den flokken som hadde framgang, ropte at kom dei så mykje som eit hanefet framom, så var dette fullgodt sigersprov. Dette skiftest menn i begge flokkane med å rope etter som det gjekk att eller fram.

Da nei-flokken hadde gått attende ei stund, sa Borte-Per at han lenge hadde spådd at ja-mennene ville vinne, og dette var han no enda meir viss på. Men da nei-

62

Mange i træleflokken møtte ikkje opp på valvollen, men la seg til å sove.

flokken hadde gått fram så mykje at utgangen var viss, sa han at ja-mennene for lengst burde ha skjøna at dei hadde vinden mot seg. For det måtte dei lastast.

Mange meinte at dette måtte tolkast som eit råd om at så lenge ein ikkje var viss på kva lei vinden bles frå, var det klokast å bere kappa på begge skuldrer. Om dette vart det gjort eit kvad:

Vis er mannen
som veit å vente
med flokk å velje
til vinden vender
og veret er varsla
å vare lenge.

Reidar den minnuge, som var sett til å lage betre voks-
terkår i bygdene, men no styrte ja-flokken, synte seg fleire
gonger i langsynsskåpet. Han såg med otte på at nei-
mennene gjekk hardt fram til å byrje med, men sa at han
vona folket i kaupangane ville syne meir vit enn bonde-
folket og vinne over desse så dei ikkje fekk framgang med
krava sine.

Men da han vart spurd om korleis han venta utgangen
ville bli, svara han berre: «Ikkje er det verdt å tinge om
skinnprisen før bjørnen er skoten.»

Da det leid noko lenger ut på natta, trudde han likevel
at han hadde kome bjørnen på skothald.

Borgar-Hans tørka sveitten når striden gjekk han imot.
Han ottast for å møte bøndene når striden var tapt og
han skulle svare for alt det gullet dei hadde gitt han til
fånyttes.

Til å byrje med fekk mennene til Tryggve og Kåre stor
hjelp av bymennene. Men da det leid ut på natta, kom det
store hopar reikande frå utskjer og fjellgrender med
hjelp til Arne Haugebonde og Borgar-Hans.

Det vart sagt av mange farmenn at desse folka hadde
ringt vit og ikkje burde hatt lov til å vere med i striden.

Få av dei hadde gått lærde skular, og dei forstod difor
lite av det som striden stod om. Mange hadde òg trekt
nisseluva så langt ned over øyro at dei ikkje hadde høyrt
det vituge som vart sagt. Men når dei stilte opp på slag-
vollen, var det berre mannefjølden som talde, og difor
fekk desse mennene meir å seie enn dei burde.

Det er òg sagt at over halvparten av træleflokken gjekk
mot Tryggve i denne striden av di dei var harme for at han
hadde truga med stolgang.

Mange mykletingmenn fekk no sjå at folk i den skip-
reida dei høyrde heime i, gjekk imot dei og lite mintest
alle velgjerdene dei hadde gjort, og alle lovnadene dei
hadde gitt, og som dei enno ikkje hadde vunne å fylle opp.

Av dette vart dei hugsåre og vonbrotne, og tenkte på
skriftordet om at ingen vart halden for sanningsmann i
sitt eige land. Men i dette fann dei lita trøyst. Somme ottast
for at det ville gå dei ille når det skulle kårast nye mykle-
tingmenn. Dei grunda da over om dei kunne skifte
flokk. For mange ja-menn hadde skifta frå ja til nei, da
dei skjøna at dette ville føre til størst framgang for dei.

Men Guttorm den naumdølske hadde våga seg så langt
fram på vollen at han trudde det låg lite von for han i
dette.

Alle land har sendemenn hos andre folk. Om dei er det
sagt at dei ligg i framande land for å tale usanning til
bate for sitt eige folk.

Dei sendemennene som Noregsveldet hadde i den kau-
pangen som kallast Bryssel, hadde synt seg særs dugande

– Kva brast så høgt, Guttorm?
– Noreg or hendene dine, herre.

til dette. Somme av dei vart difor kalla heim for at den røynsla dei hadde vunne, kunne nyttast til å skremme folk frå å seie nei.

Da dei første meldingane om framgang for ja-mennene kom til Karla-Magnus-huset i Bryssel, der mange av desse mennene var samla, vart det stor glede. Sikko Bondebane, som òg sat oppe denne natta, gledde seg med dei. Og ettersom det tok noko tid før nyhende-meldingane kom fram til Bryssel, heldt denne gleda seg ei stund etter at nei-flokken hadde vunne siger.

Men Ragnar Kale skar tenner da han høyrde gledesståket

frå Bryssel, og sa at det ville kome ein dag etter mikjels-mess også for desse. Og Reidar Raude spådde at den dagen ville bli ein blåmåndag.

Mange andre var framme i langsynet. Dei fleste kunne ikkje løyne tankane sine, og synte seg med glade eller sorg-fulle åsyn etter som striden gjekk dei med eller mot. Men på Tryggve var det ingen ting å merke om han hadde mot-gang, og dette vart seinare rekna han til gode.

Denne natta var det ingen som la seg før hanen hadde gale andre gongen. Dei fleste hadde vore i mjødbuene og rådd seg sterkmjød til å hyggje seg med, slik skikken var når det var val-vake. Somme kom da til å drikke i glede og andre for å døyve sut og tunge tankar om den uvisse framtida som no venta landet.

Slik enda denne natta da ingen sov.

Om stridsmennene som kom til Valhall, og om korleis Tor fekk skade på hammaren sin

Alle mykletingmennene som fall i strid, kom til Odin i Valhall. Der kunne dei stride mot kvarandre og gi kvarandre sår heile dagen, slik som dei hadde gjort i Mykletinget. Men når det leid mot kvelden, livna dei opp att og gjekk heim og åt flesk av galten Særimner. Dette minte dei om den kosten dei før hadde vore så glade i. Etterpå kunne dei ha gaman av valkyrjene utover kvelden.

Odin ville gjerne at mange kjemper kom til Valhall. For alle menn som kom dit, skulle hjelpe han i den striden som kallast Ragnarok, da Surts søner kjem frå aust og vil leggje verda øyde. Difor heldt han seg kunnig om alt som gjekk for seg i den store striden om ja og nei i Norderlanda. Kvar morgon sende han ut ramnane sine for å frette nytt, og når dei kom attende, fortalde dei kor mange nidskjold som var rivne ned om natta og kor mange skremsletavler flokkane hadde sett opp. Likeins fortalde dei kor mange som hadde fått skade på snøggvognene sine fordi dei hadde sett sigersmerke på dei.

Ramnane til Odin fortalde han kvar morgon om den store striden i Norderlanda, og valkyrjene gledde seg til at nye menn skulle koma til Valhall.

Av dette tok da Odin varsel og spådde at snart ville mange modige menn trø over dørstokken i Valhall. Han gledde seg storleg over dette, for han ottast at det no ikkje var lenge att før den fælslege dagen kom som alle reddast for. Ramnane fortalde han at mange kunnige menn hadde sagt at verda ville gå under anten den eine eller den andre flokken vann.

Valkyrjene i Valhall meinte òg at det ville føre til større hugnad for dei om det kom til nye menn.

Ei gammal og velrøynd valkyrje sa til dei andre: «Godt ville det vere med noko mannebyte, og større glede kunne vi da få. Lite gaman følgjer med Odin. Han er gammal og duger ikkje til stort anna enn å klype oss i baken når han fer etter oss i krokar og kott om kveldane. Og så er han så redd den svartsjuke gamle kjerringa som er kona hans, at han kvepp til kvar gong det knest i ei dør.»

Ei anna valkyrje svara til dette: «Eit og anna kan òg seiast om Tor, men når det rører seg om kvendesaker, er det lite godt å melde. Støtt går han omkring og skryter av at han ikkje ottast for anten tussar eller troll. Men sjeldan set han seg på benken og fører gladværug samtale med oss valkyrjer, og lite mot er det i han når han er i kvendelag. Støtt og stendig går han og steller med bukkane sine, og det luktar bukk av heile Tor når han kjem oss nær.»

Da det leid ut på natta og hanen hadde gale første gongen, bles Heimdall i luren sin og varsla at ein flokk ille medfarne og motlause menn var på veg opp over Gjallarbrua.

Mange trøytte og motlause menn gjekk over Gjallarbrua.

Inn steig først Lovnads-Helge.

Odin gjekk han til møtes og helsa han med fagre ord: «Velkomen til Valhall byd eg deg! Av alle menn har du, Helge, stridd mest mannsleg og synt størst mot. For du har ført våpna dine mot din eigen flokk, og stort tap har du valda i den. Monaleg vil vingleflokken minke når Hallvard Eik skal fylke den ein annan gong. Uvørden var du i striden og ansa ikkje at få av dine eigne menn følgde deg. Sess deg ved bordet og ta for deg av det gode flesket.»

Til dette svara Helge heller stutt:

«Nemn ikkje flesk til meg eller til mennene som følgjer meg. Valflesket sit oss enno i halsen.»

Etter Helge kom Håkon Hardkjefte. Han hadde lånt hammaren til Tor og gått berserkgang mot bøndene med den. Men skaftet hadde gått tvert av, og da Tor fekk sjå dette, sette han i:

«Korleis har du fare åt med den gode hammaren min? Same kor hardt eg hogg, heldt alltid skaftet.»

«Eg hogg berre i grasrota,» svara Håkon, «og ikkje kan eg skjøne korleis hammaren kunne ta skade av det.»

«Kan hende var det berg under,» meinte da Tor og saumfór hammarskaftet for å sjå om det kunne bøtast.

Mange andre gode menn kom den natta til Valhall. Tor Ospegrein og Guttorm den naumdølske stødde kvarandre over dørstokken. Torstein Trebit kom med det skinnbrevet som skulle tryggje bondebaten, og som var utlagt på mange måtar. Han ville sjå om Odin, som kjende alle tungemål og som var visare enn alle menn, kunne tyde det rett. Og rådsmannen for fiskarfolket, som fiskarane før hadde kalla

Magnus den gode, men som dei no kalla Magnus den stutt-tenkte, hadde med seg juksasnøret sitt for å prøve om han hadde betre fiskelukke når han rodde ut frå Åsgard. Kåre den djuptenkte stod for seg sjølv og undrast på om den vanlagnaden var lagt på han at folket minst trudde på han når han tala som klokast.

Sist av alle kom Tryggve frå Brattalid. Han hadde vorte hefta fordi han måtte bu seg på stolgang, og etterpå hadde han velta drottsetestolen og sagt at ingen i træleflokken måtte reise den opp att. Han hadde dei styggaste sår både i bringa og på ryggen, for mange av mennene hans hadde gitt han hogg attanfrå. Men alle sa at han bar såra sine mannsleg. Da han gjekk fram til Odin, kvad han:

> Sårut, men ei slegen
> stig eg inn i salen.
> Snart vil det sannast
> at samhaldet sprengjest,
> nei-menn vil stride
> seg imellom,
> stutt blir sigeren
> for Senterflokken,
> Borten og Hallvard
> begge vil byde.

I flokken som kom til Valhall, var det ingen som såg Reidar den minnuge, som hadde vore førar for ja-mennene.

Og da det vart spurt etter han, svara ein av mennene hans: «Han sit og reknar på kor mykje han skal ha for skinnet av den bjørnen som han trudde han hadde skote.»

Om Tryggves stolgang og Ingjalds fall, og om korleis Lars Krokfot openberra ein stor løyndom

Mange drøymde vonde draumar etter at dei hadde lagt seg den natta nei-mennene vann. Somme gamle kvende som levde i ugift stand og budde på den staden som er kalla opp etter guden Ull,[1] såg i svevnen Borgar-Hans kome opp etter Storstretet med mange vel væpna bønder og langskjeggar i følgjet sitt. Og no ville desse kome til å rå for alt i landet, og dei ville nytte den makta dei hadde vunne, hardt og utan miskunn mot andre.

For i Morgonbodstikka den gamle hadde det stått at bøndene hadde våpen på stabbura sine, og no ville dei la dei som trudde på Mao og andre framande gudar, få øks og sverd og leggje landet øyde. Både Håkon Hard-kjefte og Kåre den djuptenkte lo til dette, men sa likevel at dei ikkje heldt det for utruleg. For det var godt om andre trudde det. Og når det høyrdest fryderop og gledes-skrål frå menn og kvende som kom att frå val-vake eller

1 Er truleg Ullern. (Merknad av omsetjaren.)

74

Stolen som Roma-mennene hadde sett fram til Noreg i Bryssel, vart no ståande tom.

mjødstovene, trudde dei at no var denne fælslege tida alt komen.

Mange hadde skinnbrev som sa at dei åtte ein viss del i havskip eller jarnblåstrar eller verkstader som laga ting som folk trudde dei trong. Dei som rådde for desse tiltaka, hadde sagt at dersom det ikkje vart svara ja, så måtte dei seie til arbeidstrælane sine at dei måtte gå heim fordi det ikkje var arbeid å finne til dei. Andre sa at dei da måtte flytte til andre land der dagverktrælane ikkje sette så store krav, og der vitugare menn stod for landsstyringa.

Om dette var det gjort eit kvad som seinare vart kalla Farmannskvida den lange:

> Skinnbrev på skip
> ikkje kan seljast,
> lettjarn å lage
> blir ikkje lønsamt.
> Fiskeprisen vil
> fælsleg falle,
> useld vil fisken
> frosen skjemmast.

Da pengebuene opna om morgonen, sprang mange dit og ville selje skinnbreva sine medan det enno var noko verd på dei. Og fordi det var mange som ville selje og få som ville kjøpe, gjekk prisen monaleg ned, og mange måtte selje med stort tap.

Men dagen etter steig skinnbreva atter i pris. For da

Det vart stor glede mellom nei-mennene.

kjøpte dei som hadde skremt mest, men sjølv ikkje trudde
på skremslene, så mange skinnbrev som dei fekk tak i. På
denne måten var det mange som auka midelen sin.

Lars Jakup Krokfot hadde styrt ordet i langsynet under
denne striden. Alle som ville svara nei, måtte gjere nøye
greie for kvifor dei gjorde dette. Lars fortalde dei da at
det dei meinte, var lite gjennomtenkt, og at dei tok i miss
i mykje.

Alle nei-menn ordla seg difor finsleg for ikkje å få vreiden til Lars over seg. Dei sa gjerne at dei trudde det var som dei hadde sagt, men dei visste det ikkje sikkert.

Finn Framfuse sa:

«Nede i Romarlanda sit mektige menn og blir våte i munnen når dei tenkjer på den gode oljen som det er von om å finne langs havstrendene våre.»

Lars Jakup vart da ofseleg vreid:

«No går det over støvelskafta dine, Finn, og ikkje har du lov til å seie at heiderlege menn i andre land tenkjer på sin eigen bate når dei vil ha oss med i Romapakta.»

Til dette svara Finn heller kvast:

«Akte deg sjølv så du ikkje går skorne av deg. Du skal styre denne samkjeftinga, men du har ikkje noko med å råde over dei orda som eg finn det naudsynt å bruke.»

Lars Jakup gjekk no til eit runeblad og fortalde at han hadde freista å løyne meiningane sine slik at alle skulle tru at han heldt like mykje med begge flokkane og vog orda jamt og tvisynt.[1] Dette hadde falle tungt, og det hadde ikkje alltid lukkast for han. Han hadde difor fått mange vondord frå ja-mennene fordi han halla for mykje til den andre sida. Men no kunne han openberre den løyndomen at han hadde sagt ja.

Dette vekte stor undring. Og Torolv Langlurherse, som vart kalla så fordi han rådde for både langsynsskåpet og allmannaluren, fekk mykje vellæte for at han var så klok

[1] I norrønt mål finst det ikkje noko ord for *nøytral,* truleg fordi få var det i den tida. Men det er vel dette sogeskrivaren har meint.

Ingen visste kven som velta Ingjald av stolen.

til å velje hjelpesmenn som ikkje synte meininga si, om dei hadde noka.

Tryggve la no fram den boka som kallast Gulskinna[1] fordi ho er bunden i eit fagert gult band. I den stod det at det skulle krevjast inn meir skattegull enn før, og at alle andre tyngsler skulle aukast for at allmugen kunne få meir att for det dei betalte. Tryggve sa at han var glad for at desse byrdene no skulle berast fram av andre.

Deretter gjorde han og mennene hans stolgang, og det er sagt at dette gjorde dei på ein meir mannsleg og vørdeleg måte enn det som hadde vore vanleg den siste tida. Og som skikken var, fekk Tryggve eit godt ettermæle.

I Mykletinget som no kom saman, var det slik at han som var klubbemann, ervde den dobbelrøysta som Olav Okse ein gong hadde ått. Han kunne difor røyste med to røyster om dette var turvande. Men vilkåret var at han røysta like eins med begge.

Alle venta at Ingjald Illråde skulle vinne dette valet, og gå til kongen for å gi han råd om kven han skulle ta til ny drottsete. Ingjald hadde fått tilnamnet sitt fordi mange meinte han hadde rådd kongen ille da Borte-Per gjorde stolgang.

Men det synte seg at Ingjald fekk to røyster mindre enn Leiv Hepne, som no hadde vorte sysselmann nord for Dovre. Alle undra seg over korleis dette kunne hange saman, og ingen undra seg meir enn Leiv sjølv.

Han sa: «Mykje dett ned i fanget mitt, og eg må seie

1 «Den gule bok». (Merkna dav omsetjaren.)

med salmisten av staupet mitt renn over. Kan hende blir eg òg drottsete, og da må det seiast at alle gode ting er tre.»

Somme meinte at dette var gjort for at Leiv kunne gå til kongen og rå han til å spørje seg om han sjølv ville bli drottsete. Dermed kunne ingen nei-mann kome på tale.

Andre trudde det var grasrot-menn som ikkje tålte å sjå ein farmann nytte klubba. Og det var òg dei som meinte at det var nokon i Ingjalds eigen flokk som bar agg til han av ein eller annan grunn.

Men fordi ingen var viss på korleis dette hang saman, slutta folk snart å tale om det.

Om striden mellom vinglemennene, og om korleis Lovnads-Helge vann tilnamnet Vinglebane

Odin, som var glad i strid og gjerne ville at mange menn skulle falle og kome til han, let no Lovnads-Helge få samtykke til å fare ned til Mykletinget for å lage strid mellom dei vinglemennene som enno var att. Odin vona at dette kunne føre til nye mannefall.

Helge åt da flugesopp og gjekk berserkgang mot dei vinglemennene som ville slå lag med Dagfinn Bonde og

Korvald Kyrre. Dette er kalla den siste vingle-striden fordi det var siste gongen vingleflokken kunne fylke til strid mot andre. Etter dette kunne dei ikkje slåst med andre enn seg sjølve.

I Vinglehuset var det vidt mellom veggene og høgt under taket, og dette kytte vinglemennene ofte av. Dei sa at på denne måten var det godt armslag for vinglemenn som ville bere våpen på kvarandre, slik at dei ikkje trong gå utanom huset når dei fekk hug på holmgang seg imellom.

I ein kove i dette huset sat Vingle-Lina. Sjølv om dei hadde stelt dårleg med henne og ho hadde hatt mange sorger og vonbrot, var det enno liv i henne. Men ho følgde lite med i det som hende. Ho såg likevel med otte på striden mellom Hallvard Eik og Helge. Og da Helge sa at no måtte vingleflokken kløyvast, mimra ho noko om at det som var lite før, ikkje kunne delast fleire gonger utan at det vart så smått at ingen ansa på det.

Helge sa at vinglemennene ikkje burde ha samlag med Borte-Per og kristmennene. Han vart da mint om at vinglemennene før hadde gjort dette. Men til det svara han at den gongen var det annleis, for da hadde han sjølv vore med, og likeins Kåre den djuptenkte. Dette gjorde stor skilnad. No burde dei heller slå lag med træleflokken. Og medan han den gongen Borte-Per fall, hadde sagt at samlaget hadde vore til stor glede for han, og at alle hadde vore vener og vel samde, sa han no at det hadde vore mykje usemje og mange vondord dei imellom. Han sa òg at dersom vingleflokken fylka saman med kristmenn og

83

midtmenn, ville dei kome for langt unna træleflokken, og for nær Finn Framfuse og langskjeggene hans.

Helge sa mange andre ting som folk tykte det var lite vit i, men han vart orsaka med at når nokon gjekk berserk var dei lite sætande, og etterpå gløymde dei gjerne det dei hadde sagt.

Mange av dei vinglemennene som hadde merkt seg med geirsodd, følgde Helge i denne striden. Fremst mellom dei

Hallvard og Gunnar rodde bort frå vingleskuta.

Helge rudde vingleskuta, og fekk etter dette namnet Vinglebane.

var Beint Magre. Han hadde vunne seg mykje frægd fordi han hadde givnad til å kring-gå innfløkte spurnader. Difor vart han òg av somme kalla Beint Røyskattmjå.

Beint vart spurd: «Var det ikkje så at du ein gong da allstriden hadde gått flokken din imot, ein kveld etter at det hadde vorte mørkt, søkte hovdingen for midtmennene og bad om fostbrorskap?»

Til dette svara han: «Det er gått mange vintrar sidan det hende, og mykje og mangt har skifta sidan da. Og i ei tid da mange ikkje hugsar kva dei før har sagt, er det lite sømeleg å dra fram slike ting.»

Og fordi mange i alle flokkane hadde sagt mange ting som dei helst ville gløyme, og fordi dei no gjekk med andre tankar om Romarbrevet enn dei før hadde hatt, vart dette rekna for fullgodt svar.

Helge trudde at han no kunne skipe ein ny flokk som kunne stride mot Hallvard og dei vinglemennene som følgde han. Han førte striden med stor ofse og hogg hardt ikring seg. Dette førte til at både vener og uvener fall ikring han, og han såg til slutt at han hadde rydda sitt eige skip. Og da han stod att åleine i krapperommet, kasta han sverdet og kvad:

> Vinglemenn mange
> ligg på valen
> — velgjort er verket —
> veikna er flokken.
> Einsam eg står
> på Vingles val-voll.

Om korleis Korvald Kyrre vart drottsete, og om korleis dei siste vart dei første

På vekedagen etter at nei-mennene hadde vunne den store sigeren sin, var det røystestrid i Daneveldet. Både Tryggve og Borte-Per gav gode råd om korleis danene skulle stelle seg. Danene hadde meir tiltru til Tryggve enn til Borte-Per, og det vart til at ja-mennene vann.

Tryggve og Kåre sa seg glade for dette. Og dei meinte at når danene no hadde skilt lag med dei andre Norderlanda, ville samhaldet i nord bli enda større enn det før hadde vore. Og tingmenn og rådsmenn ville enda oftare enn før kunne møtast i Norderlandsrådet og fare på gjesting til kvarandre og tale om saker som det var uråd å bli samde om.

Det vart òg sagt at sjølv om danene gjerne ville selje kjøtt og flesk og mjølk til Noreg og fiske i norsk sjø, så ville dei likevel hjelpe til så nordmennene slapp å gå med på noko slikt om det vart kravd av dei andre Romarlanda. Sameleis skulle Daneveldet vere som ei bru som Roma-mennene kunne gå på om dei ville til Noreg.

Slik kunne nordmennene vere stornøgde med utgangen på ja- og nei-striden i Daneveldet. Og da Jens Krake gjorde stolgang, tykte mange nei-menn mellom danene òg at noko godt hadde striden ført med seg.

Danene var ovende trøytte etter siden og hadde vondt for å halde seg vakne dagen etter val-vaka.

Ein rådsmann heitte Per Hikkerup. Han var kjend i Noreg fordi han ein gong da Norderlandsmøtet var saman i Oslo, hadde drukke opp alt ølet for nordmennene. Medan Jens Krake gjorde stolgang, sovna han i tingstova, og da han vakna att, visste han ikkje noko om denne hendinga.

Midtmennene og kristmannsflokken skulle no, med hjelp av dei vinglemennene som synte ulydnad mot Helge, kåre ny drottsete og nye rådsmenn.

Dette vart rekna som ei flokkesak, og ingen ville ta dei med på råd som hadde gjort mest til at det vart siger for nei-mennene. Dei fekk heller ingen takk for arbeidet sitt, og mykletingmennene ville helst ikkje tale med dei. Borgar-Hans og Arne Haugebonde vart difor snart gløymde.

Dei fleste i desse flokkane hadde før sagt ja. Dei vart difor fort samde om at dei som hadde sagt nei den tida da mest alle sa ja, var lite dugande til desse yrka. For menn som tok avgjerd snøgt utan å tenkje seg om, kunne vel vere bråkloke, men sjeldan langkloke. Difor var det klokast å halde seg til dei som hadde tenkt seg lengst om før dei vart samde med seg sjølv om å seie nei. Etter dette vart da mannevalet gjort.

Såleis gjekk det skriftordet i oppfylling som seier at dei siste skal bli dei første.

Nei-flokkane sette deretter saman eit drøftarlag som skulle gi råd om kor mange krakkar det skulle vere i rådsstova, og kor mange frå kvar flokk som skulle få ein krakk. Dette var ovende innfløkt, og dei vart ikkje samde før dei sette inn ein krakk som var litt lågare enn dei andre. Han som skulle sitje på denne krakken, vart kalla halvrådsmann.[1] Da dette var gjort, hadde dei lange samrøder om kva krakkar kvar flokk skulle ha til å setje sine menn på. For ikkje alle krakkar var like gode å sitje på. Nokre stod langt oppe ved rådsbordet, andre lenger nede.

På krakkane lengst nede, skulle det setjast kvende.

Da krakkebytinga var gjord, tok flokkane til å leite etter menn som høvde til å sitje på dei.

Somme meinte at det skulle ha vore gjort først, og at

1 Av dette kan vi slå fast at dei i gammal tid også hadde konsultative statsrådar, som fekk stelle med dei sakene ingen andre ville ha. (Merknad av omsetjaren.)

krakkane burde ha vore bytte etter som flokkane hadde høvelege menn til å setje på dei. Men til dette vart det svara at slik var ikkje skikken i Mykletinget, for krakken hadde meir å seia enn mannen.

Deretter skulle det kårast drottsete, og kvar flokk gjorde framlegg om sin eigen mann og sa at han høvde best til dette. Midtmennene sa at Borte-Per burde gå i drottsetestolen denne gongen òg, fordi han hadde mest røynsle, og truleg ville det gå betre enn sist. Men da dei vart spurde om dei sjølve meinte dette, sa dei fleste at så lita tiltru som det var til Per i dei andre flokkane, var det vel helst nyttelaust. Men det ville vere til stor æremink for Per om dei ikkje kravde han, og difor var det gjort.

Dei fleste hadde trudd at Hallvard Eik skulle bli drottsete, sjølv om han hadde heller få menn attom seg. Dette trudde han òg sjølv. Men da midtmennene ikkje ville ha han, og vinglemennene ikkje ville ha Per, kunne ingen av dei bli drottsete.

Slik stod det no i fleire jamndøger, og bodstikkene som Kåre og Tryggve rådde over, kunne ikkje løyne gleda si over at det gjekk så trått.

Kristmennene hadde under dette mange samrådsmøte, og heldt dei andre i uvisse om kva dei ville. Skuggen av Kjell Kristbonde vart no sedd mange stader i Mykletinget, og det gjekk ord om at han ville seie ja til eit tilbod om det kom frå midtmennene. Men da dette tilbodet kom, sa Kjell nei. Dermed hadde han fått oppreising for at midtmennene før hadde gått imot han, og var ikkje lenger såra og vonbroten.

90

Kjell Kristbonde tok til å spøkje i Mykletinget, og mange tok vonde varsel av dette.

Kjell Kristbonde leidde Korvald Kyrre fram til drottsetestolen.

Det var no ikkje meir enn ei eggstund[1] att før Tryggve skulle gå til kongen og gi han råd om kven han skulle velje til drottsete. Og dersom nei-flokkane da ikkje hadde vorte samde, kunne træleflokken vende det slik at ein av dei gjekk i drottsetestolen. Kristmennene kom med krav om Korvald Kyrre, og da det ikkje var tid for dei andre til å kome med motkrav, vart det slik.

[1] Ei eggstund er den tida det tek å koke eit egg. (Merknad av omsetjaren.)

Korvald Kyrre hadde fått namnet sitt fordi han var ein fredsæl mann. Han sa sjølv at han likte best å sitje heime på garden sin. Men da han hadde vorte drottsete, sa han at der han hadde sett seg, ville han helst sitje ei stund.

I dette var mennene hans samde med han.

Korvald fekk med seg mange menn og kvende som det berre var godt å seie om. Men Lars Jakup Krokfot tykte det var vel mange bønder, og Morgonbodstikka den gamle skreiv at så lite som ein venta av Korvald og dei han hadde med seg, kom ingen til å bli vonbroten.

Kveldsbodstikka den gamle, som kom ut om morgonen, meinte at mennene hans korkje var vitugare eller uvitugare enn folk flest. Dette var mykje sagt av Kveldsbodstikka, tykte mange.

Det var ymse meiningar om alle hadde vorte sette på dei krakkane som høvde dei best. Alle var likevel samde om at Tryggve som budde lengst nord av alle nordmenn, ved landemerket mot Bjarmeland, hadde kome på den rette krakken. Det vart spådd at mange ville han vere til glede, men somme ville òg bere sut for han. Han hadde drive fiske nord i Trollebotn om vinternettene, og alltid kome velberga heim. Difor fekk han namn etter ei gammal kjempe som hadde gjort ei ferd til Trollebotn, og vart kalla Tryggve Frægdegjeva. Faren hans hadde vore ein av hovdingane i træleflokken, men Tryggve vart likevel send ut frå heimehuset med signing og gode ynske etter seg.

Mange tingmenn frå Hålogaland tok vonde varsel av dette.

Om dei fleste av dei andre mennene Korvald tok med seg,

*Korvald Kyrre, som var mykje imot sterk drykk, ville at han sjølv
skulle ta seg av ølsalet. Etter dette vart det store tap for dei som åtte
skinnbrev i det huset i Bjørgvin der dei bryggja øl.*

er det sagt at dei enda ikkje hadde vunne seg noko namn,
og sogene har difor lite å melde om dei.

Korvald sa no fra eit grunnkvad, der han fortalde kva
han tenkte å gjera og ikkje gjera. Det var mest av det siste,
sa mange.

Kjell Kristmann Unge var sett til øyrekviskrar hos Korvald. Han skulle òg lage lov-kvad om drottseten når det var naudsynt. Dette var det første kvadet han laga:

Korvald Kyrre
kleiv på krakken
— klok er karen.
Bod til Bryssel
Dagfinn Bonde
ber med klokskap,
Hallvard Eik
vil heider hauste.

— Slik byrjar soga om Korvald Kyrre.

Hallvard Eik
vil heider hauste.